Left hand

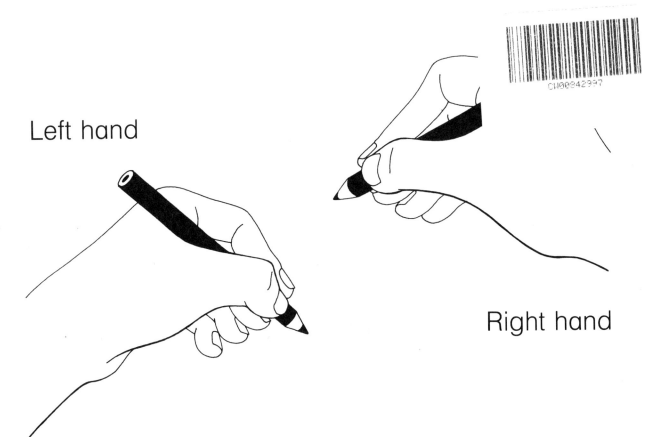

Right hand

Grip the pencil lightly between the first finger and thumb. The second finger is used as a 'cushion' underneath the pencil. Rest the hand and arm on a table. Let the pencil rest on the hand between the base of the first finger and thumb.

same w
go on in the

Sit facing the table with elbows and arms resting on the table. Keep all fingers, apart from the first finger, underneath the pencil. The pencil end should point over the shoulder on the same side.
Use the 'free' hand to hold the paper steady.

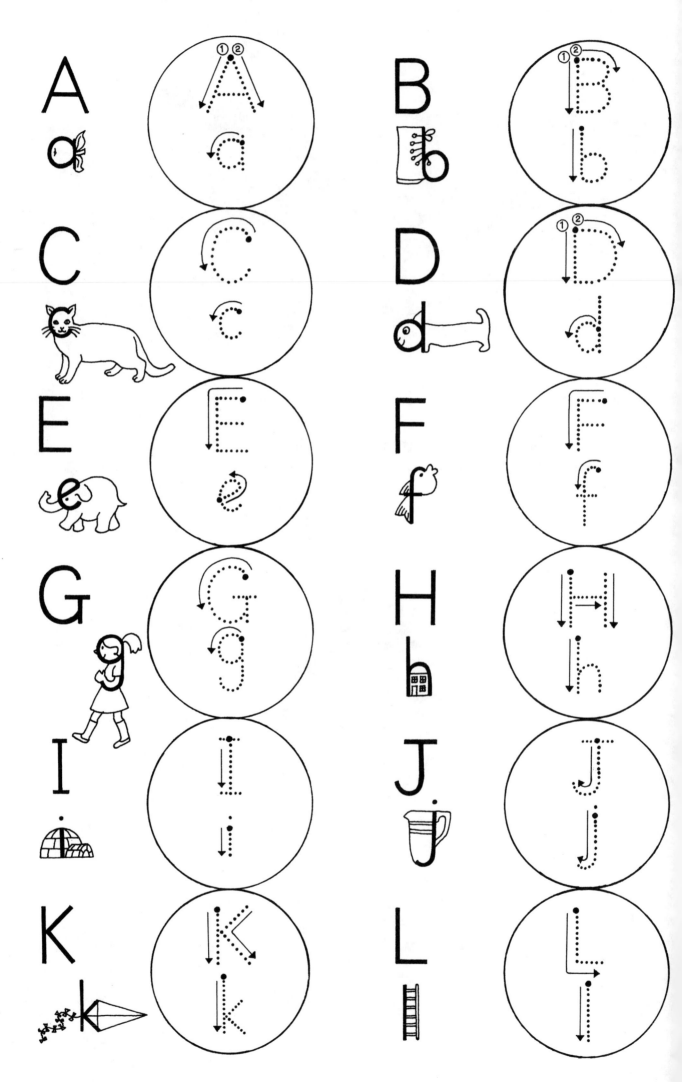

A a

B b

C c

D d

E e

F f

G g

H h

I i

J j

K k

L l

4

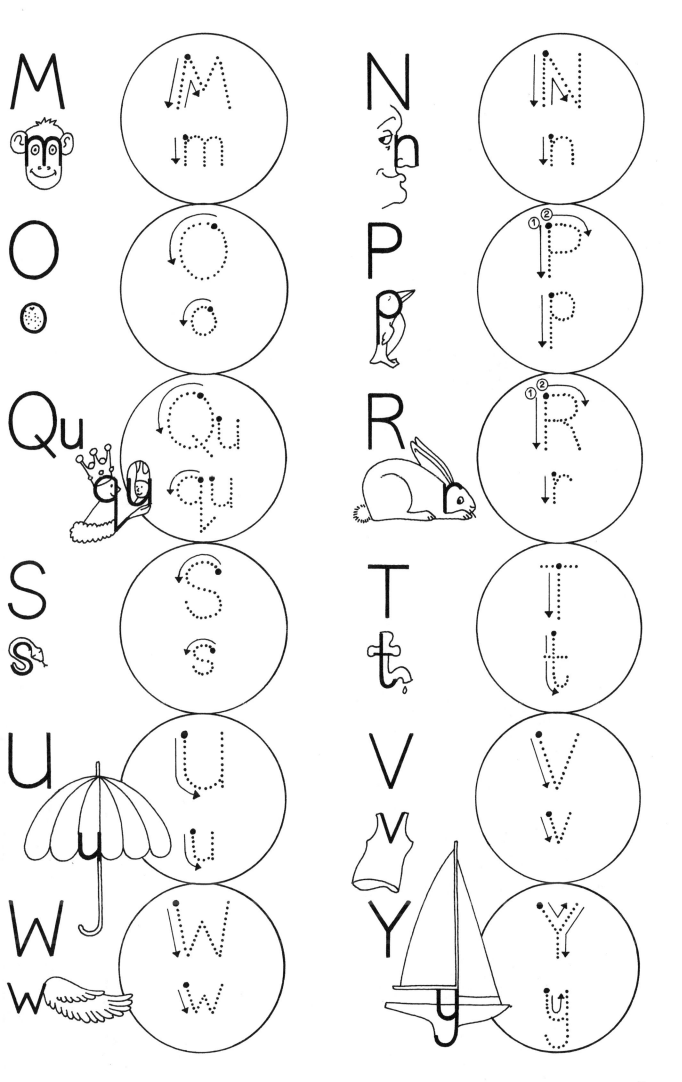

M

O

Qu

S

U

W

N

P

R

T

V

Y

5

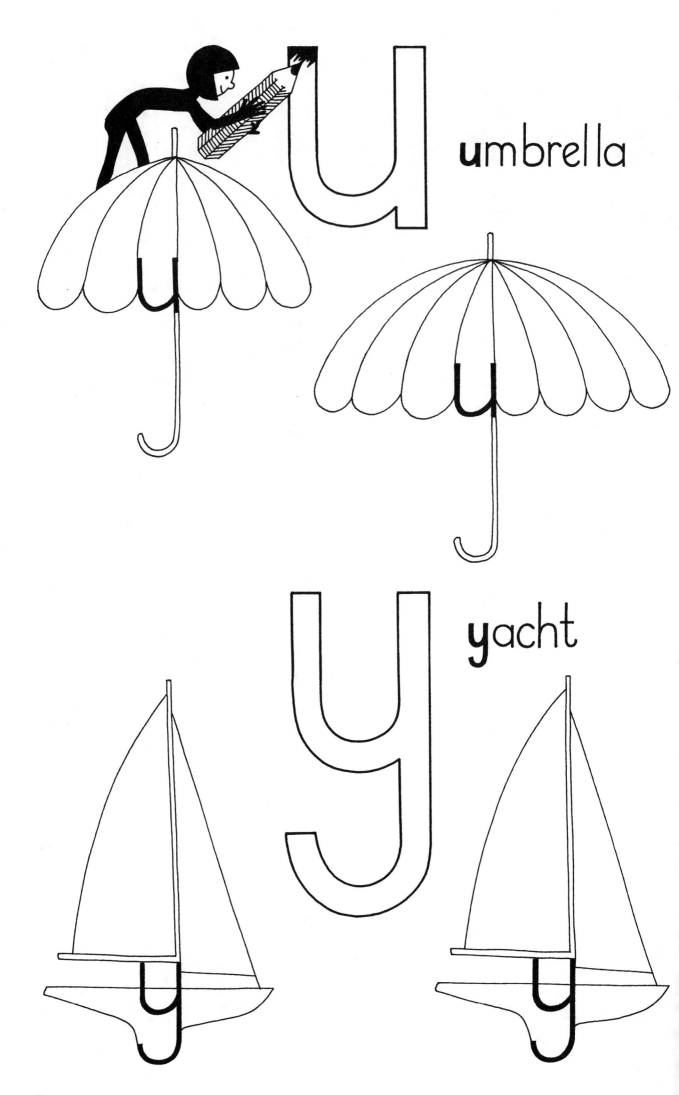

umbrella

yacht

u

u n l i u u P g
f m c t u g
u v u t s w u

y

a d y w y
b g d i
h v j s
y k y d y f y n

up
down

U

umbrella

u

yoyo

y

yacht

y

8

go on →

u   u   u

y   y   y

v   v

w   w   w

u   y   v   w

_indow

_mbrella

_all

_acht

_egetables

_an

_oyo

_iolin

_ashing machine

c   o   a   d   g   s

go on →

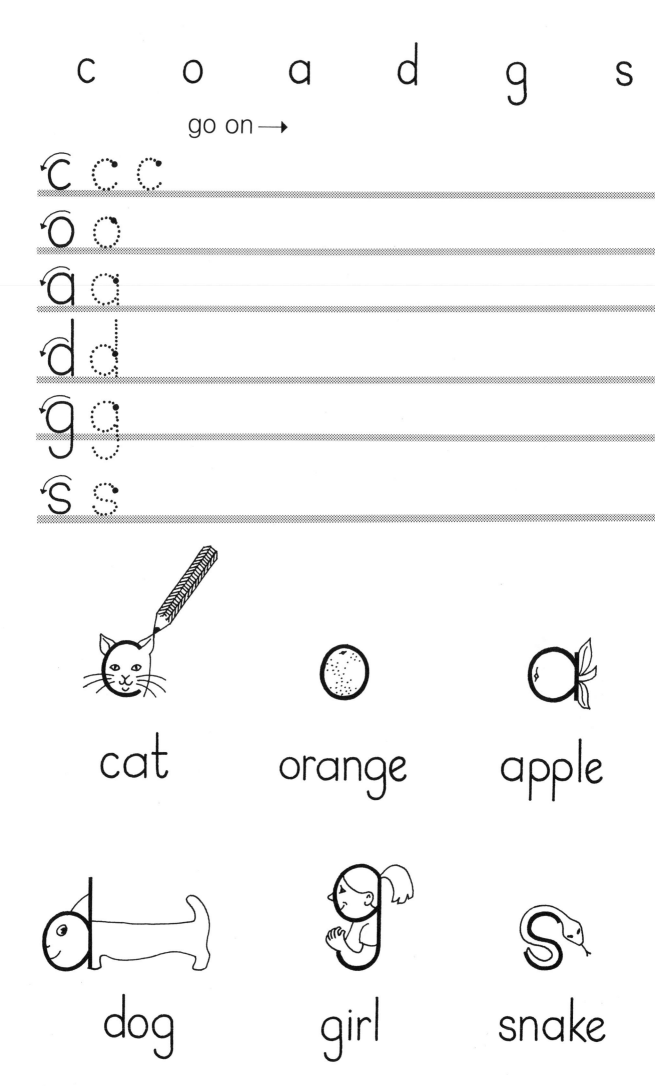

c c c

o o

a a

d d

g g

s s

cat

orange

apple

dog

girl

snake

i r n m h p b

go on →

↓i i

↓r r

↓n n

↓m m

↓h h

↓p p

↓b b

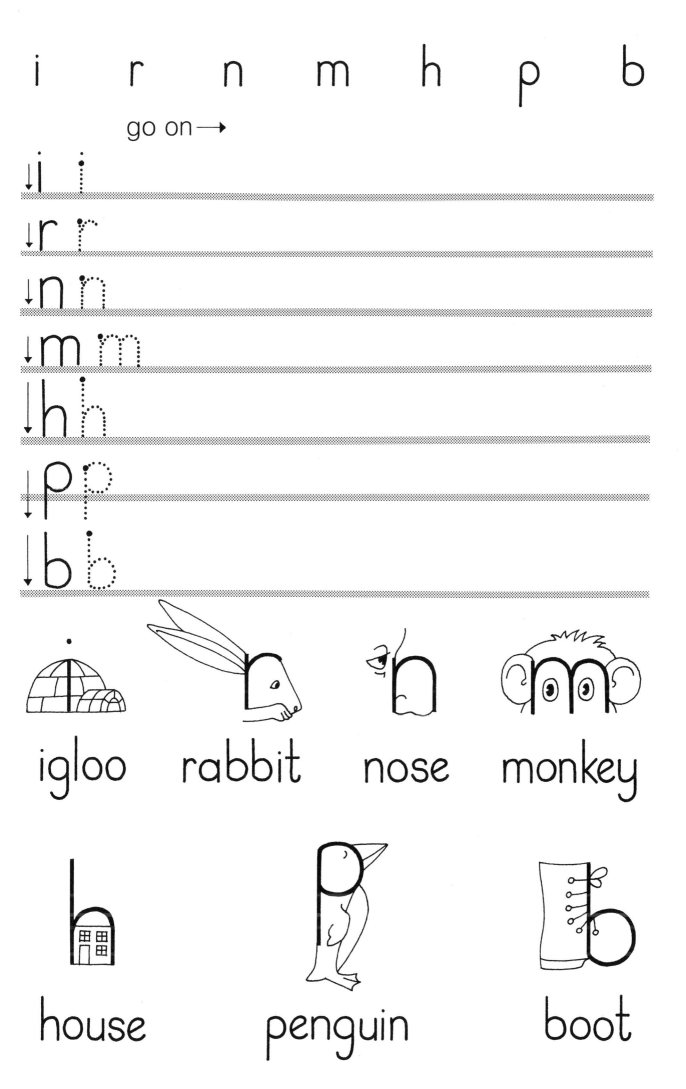

igloo rabbit nose monkey

house penguin boot

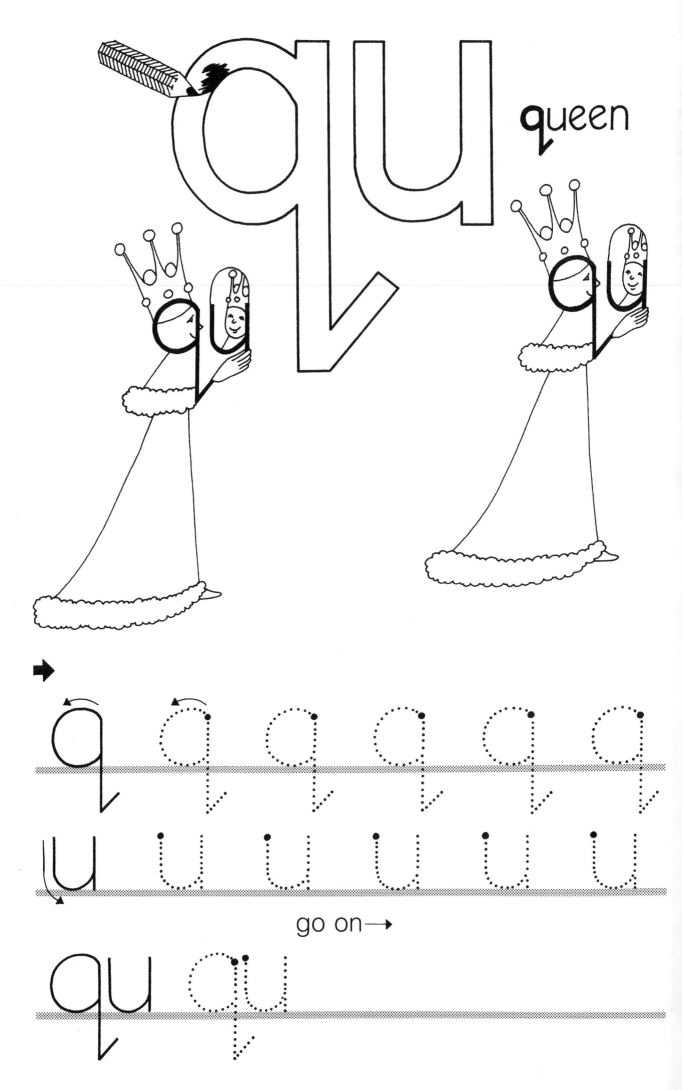

queen

go on→

qu

qu t w qu f
h a qu v c d
qu d qu qu
d qu n i

qu   qu   qu   qu   qu

? question mark

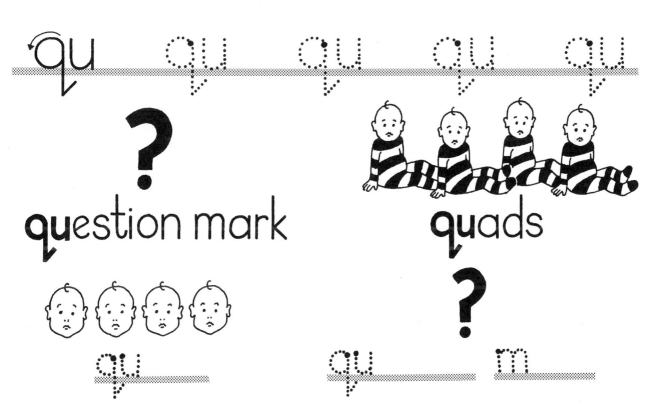

quads

qu____

? qu____ m____

c d c d

c c a a c c a a

c g c g c g

c o o c o o

c d g c d g

a c o d a c o d

c c g g c c g g

o q q q o q q q o q q q

d c q d c q

go on like this

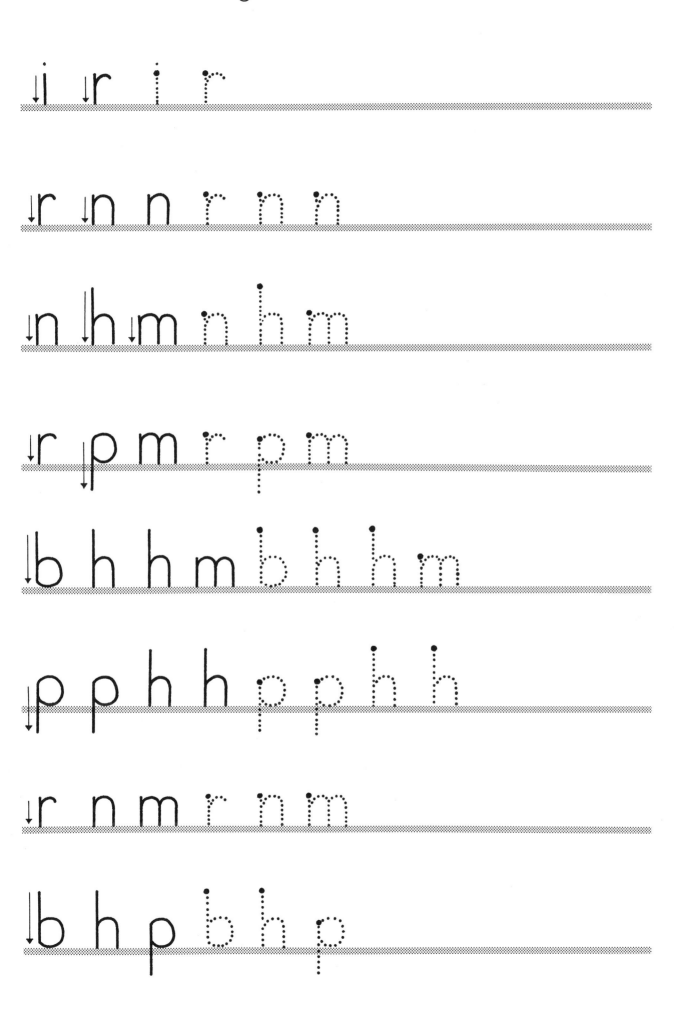

qu   u   y

_acht   __ill

down   _p   __een

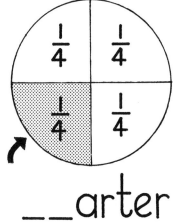

__arter   _mbrella

16

v w r h

_egetables

_and

_orm

_est

_itch

_alrus

_oof

_ing

_ammer

_an

_indow

_ase

_orse

17

fo**x**

go on →

zebra

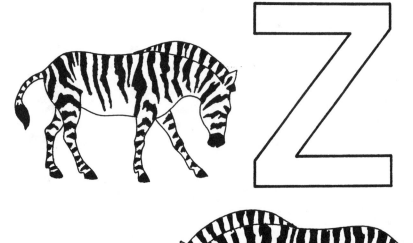

$\vec{z}$ z z z z

z

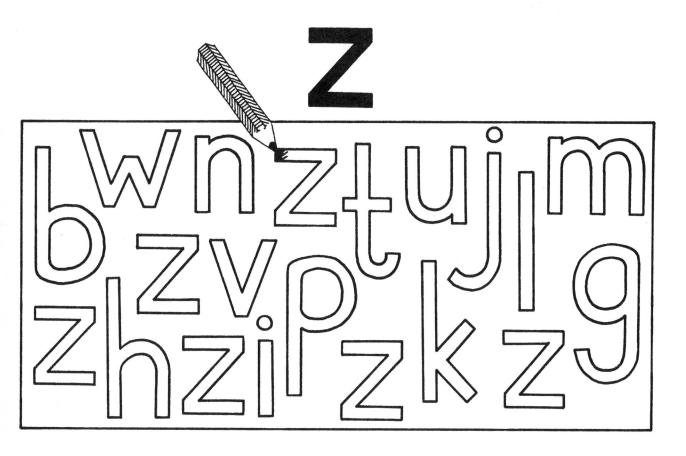

b w n z t u j l m
b z v p t u j l g
z h z i p z k z g

x̧ x x x x

x

x y p x f x g
v j p w o h r
f x a z x i m x

x

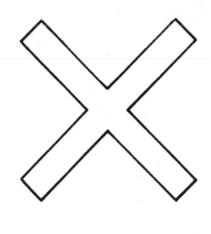

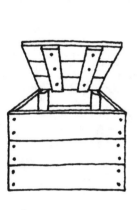
bo_

fo_

a_e

6
si_

e_it

60
si_ty

sa_ophone

qu   z

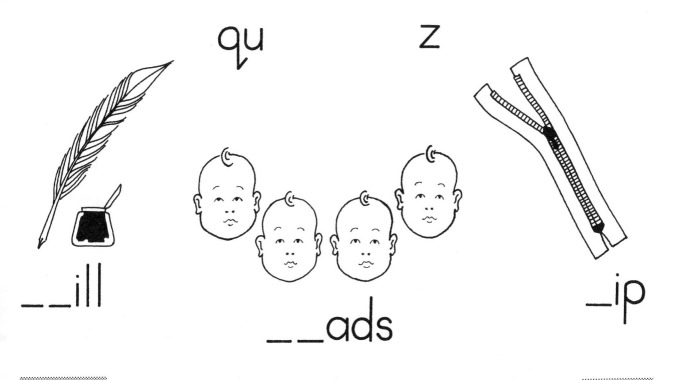

__ill

__ads

_ip

__arter

__een

_ebra

__estion mark

X v w c

_ase

o_

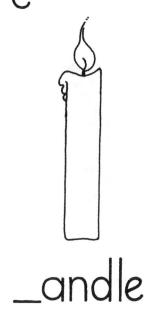
_andle

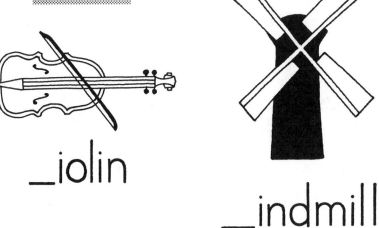
_iolin

_indmill

16 si_teen

60 si_ty

_atering _an

_ow

22

h h

u u

z z

qu qu

_ebra

_en

__een

_p

down

__ins

_ouse

?

__estion mark

_ills

_mbrella

d   d

g   g

n   h

b   b

p   p

t   t

10   _orcupine   _ortoise   **9**

_en   _ine

_ooks   _anda   _oose   _oor

_oliceman   _utterfly   _ustpan

24

m   p   f   s   t   c

_ish

_andcastle

_ermaid

_ineapple

_adpoles

_abbage

_ork

_ushroom

_ock

_ake

16 _ixteen

_unnel

_elican

_aterpillar

_inger

25

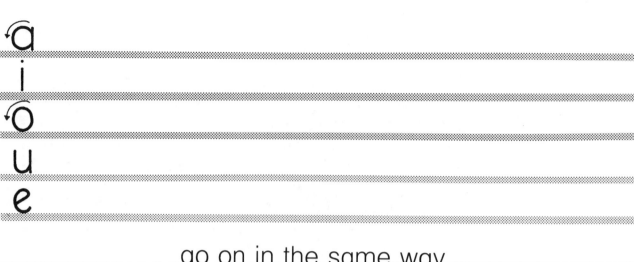

go on in the same way

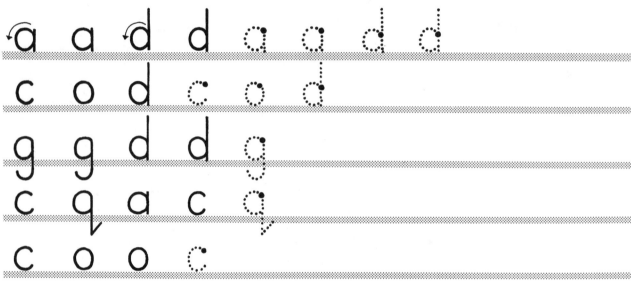

p_ns

c_p

c_t

b_d

c_t

u   i

n_t

h_ll

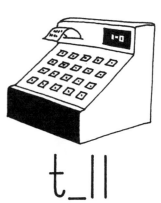
t_ll

m_g

l_d

f_n

g_n

b_b

w_g

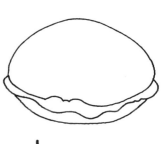
b_n

o   e

l_g

log

w_ll

n_t

10

t_n

m_p

p_n

d_ll

w_b

p_t

28

o   e

b_ll   c_t   t_p

h_n   b_d   d_g

l_g   b_x   p_g

29

u   a

c_p

f_n

j-g

m_n

b_s

b_g

s_n

t_p

30

a   i

c_t   p_n   p_g

6
s_x   b_g   h_t

b_t   b_n   t_n

31

m   p   b

↓m   (monkey face)

↓p   (penguin head)

↓b   (boot)

_onkey   _all   _ed   _oot

_arrow   _ag   _oon   _enguin

_arrot _alloon   _ig _ottle

n   t   d

n   n

t   t

d   d

_own   _ent   _ummy

_eedle   _ose   _art   _elephone

_og   _elevision   _oes   _octor

p P   P
n n   n

su_   clow_   ta_

cu_   te_   mo_

to_   ma_   moo_

d   m

d d   d

m m   m

car_

plu_

han_

bir_

ar_

li_

be_

pra_

t   p

lt t _____ t

p p _____ p

ba_   cu_   nu_

boo_   ne_   coa_

stam_   shee_   ste_

g   n

peg

pin

spoon

jug

hen

pen

balloon

button

t   g

t t   t

g g   g

ba_

pi_

ha_

po_

ca_

ru_

lo_

co_

le_

go on →

x   g

box

6

si__   fo__   fla__

wi__   fro__   mu__

bo__   slu__   plu__

jug

jug

 _a_

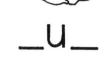 _u_

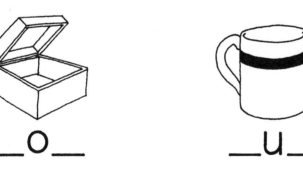 _e_

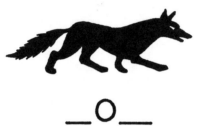 _o_

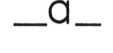 _a_

 _o_

 _u_

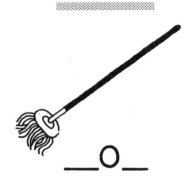 _o_

6 _i_

10 _e_

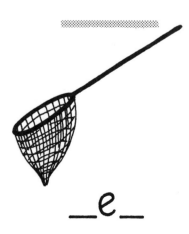 _e_

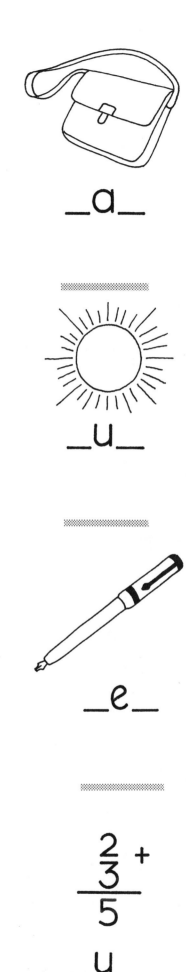

_i_   _e_   _a_

_a_   _o_   _u_

_u_   _i_   _e_

_o_   _a_   _u_

d   b

d
b

ball
ball

_og

_ed

_oot

_oy

_omino

_esk

_oll

_anana

_ook

_ird

_ucket

b   d

_one   _oor   _ox   _utton

_eads   _eard   _oat   _onkey

_alloon   _ell   _uck   _ath

ba ba ba   bag

bo bo   box

bu bu   bus

bi bi   bin

be be   bed

ba   be   bi   bo   bu

bud   __ll   __tton

bud   ___   ___

__n   __b   __t

___   ___   ___

44

da   do   de   di   du

__ck   __ll   --g

la   lo   le   li   lu

--g   __d   --g

ta   to   te   ti   tu

10

__n   __p   --p

ha ha					🎩 hat
hi hi					🏔 hill
ho ho					🏃 hop
he he					🐔 hen
hu hu					🏠 hut

sa sa					🛍 sack
si si					**6** six
so so					🧦 sock
se se					**7** seven
su su					☀ sun

ma ma					🧶 mat
mi mi					🗼 mill
mo mo					🧹 mop
me me					👥 men
mu mu					☕ mug

ca

co

cu

c̈ät
c̈ät

_ _ p

_ _ t

ra   re   ri   ro   ru

_ _ d

_ _ t

_ _ m

pa   pe   pi   po   pu

_ _ n

_ _ g

_ _ n

wa   we   wi   wo   wu

__g   __b   __ll

fa   fe   fi   fo   fu

__n   __x   __sh

na   ne   ni   no   nu

__t   __t   __n

ISBN 978-0-19-838061-0

9 780198 380610